¡A COMER FRACCIONES!

PARA CHRIS

Originally published as: *Eating Fractions*

Copyright © 1991 by Bruce McMillan.
Spanish translation copyright © 1995 by Scholastic Inc.
All rights reserved. Published by Scholastic Inc.
Design by Bruce McMillan.
Art direction by Claire Counihan.
Text set in Optima and Optima Medium.
Printed in the U.S.A.
ISBN 0-590-48597-0

2 3 4 5 6 7 8 9 10   08   01 00 99 98

¡A COMER FRACCIONES!

Cocinado, creado, escrito y foto-ilustrado por

Bruce McMillan

SCHOLASTIC INC.

New York Toronto London Auckland Sydney

ENTERO

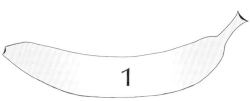

1

MITADES

½ ½

ENTERO

TERCIOS

ENTERO

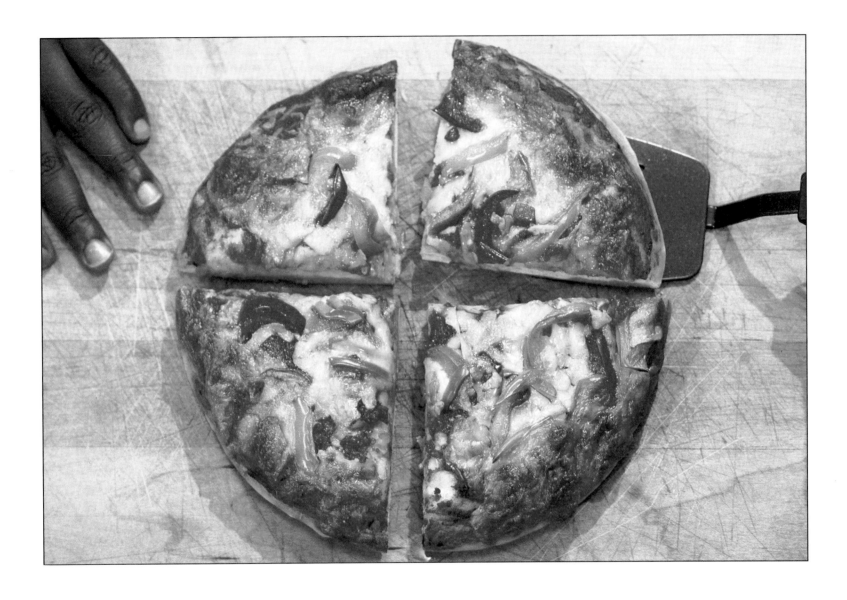

CUARTOS

ENTERO

1

MITADES

½ ½

ENTERO

1

TERCIOS

ENTERO

CUARTOS

27

TRÉBOLES PARA CONEJITOS

¡Bollitos hechos de zanahorias!

Ingredientes para 15 bollitos

¼	taza de agua tibia (105°-115°F)	3⅛	tazas de harina
1	cucharada o un paquetito de levadura seca	¾	tazas de zanahorias rebanadas cocidas
⅞	taza de leche tibia (105°-115°)	⅓	taza de pasas de uva
1	cucharada de azúcar	⅓	taza de almendras
½	cucharada de sal		aceite vegetal
1½	cucharada de margarina		miel

Coloque el agua tibia en el tazón de una procesadora, con su cuchilla común. Espolvoree la levadura. Revuelva hasta que esté disuelta. Agregue la leche tibia, el azúcar, la sal, la margarina y una taza de harina. Revuelva por un minuto hasta que quede una mezcla homogénea. Cambie la cuchilla por una de amasar. Agregue 1/2 taza de harina. Mezcle 1 minuto. Añada las pasas, almendras y 1 5/8 taza de harina. Mezcle unos 3 minutos. Incorpore las zanahorias y mezcle hasta que éstas estén trituradas y bien mezcladas en la masa. (Si está amasando a mano, amase unos 10 minutos, agregando lentamente la harina. Luego ponga las pasas, almendras y zanahorias)

Coloque la masa en un tazón engrasado, cúbralo con papel de cera y déjela reposar en un sitio tibio por lo menos 20 minutos o hasta que aumente el volumen. Engrase los moldes para 15 bollitos.

Retire el papel de cera y aplaste la masa. Divídala en tres partes. Haga un rollo con cada una de las partes, y córtelo en 15 rodajas iguales. Coloque tres rodajas en cada molde, una al lado de la otra con la cara plana hacia arriba. Pinte con aceite vegetal y cubra con papel de cera. Guarde en la nevera de 2 a 24 horas.

Cuando quiera hornear los bollitos, retire el papel y deje a temperatura ambiente durante 30 minutos. Hornee los bollitos a una temperatura de 400°F por 15 ó 20 minutos, o hasta que estén dorados. Úntelos con miel.

Los niños pueden:

Medir en fracciones las cantidades de salsa y queso.
Dividir la masa en mitades.
Dividir los chiles de tres colores en tercios.

PIZZA CON CHILES DE COLORES À LA BRUCE

Ingredientes para dos pizzas de 6" o una de 12"

3	cucharadas de agua tibia (105°-115°F)	1	lata de 6 onzas de salsa concentrada de tomate
½	cucharada o ½ paquetito de levadura seca	1	taza de queso mozzarella rallado
2	Tazas de harina	2	cucharaditas de orégano
2	cucharadas de aceite de oliva	⅓	chile verde, cortado en tiras
1	cucharadita de sal	⅓	chile rojo, cortado en tiras
		⅓	chile amarillo, cortado en tiras
			harina de maíz blanca

Coloque el agua tibia en el tazón de una procesadora (cuchilla de amasar). Espolvoree la levadura. Mezcle hasta que esté disuelta. Agregue la harina, 1 cucharada del aceite de oliva y la sal. Revuelva durante 3 minutos hasta que logre una masa homogénea. Coloque la masa en un tazón engrasado, cúbralo con papel de cera y colóquelo en un sitio tibio durante unas 2 horas o hasta que aumente al doble su tamaño.

Aplaste la masa y divídala en dos. Sobre una mesa enharinada, extienda cada trozo de masa con un rodillo hasta que obtenga dos círculos de 6 pulgadas de diámetro. Si quiere experimentar, lance los trozos hacia arriba dando vueltas, hasta que logre darles forma circular. Espolvoree cada molde de pizza con harina de maíz. Coloque la masa en los moldes y pínchelos con un tenedor.

Distribuya 3 onzas de salsa de tomate concentrado sobre cada círculo de masa con una espátula para emparejar. Espolvoree 1/2 taza de queso rallado y 1 cucharadita de orégano en cada pizza. Rocíe con 1/2 cucharadita de aceite y cubra con chiles de los tres colores. Deje reposar por 10 minutos. Caliente el horno a una temperatura de 400°F.

Hornee por 25 minutos o hasta que la masa esté crocante y dorada.

GELATINA DE PERAS À LA BRUCE
Ingredientes para 4 porciones

1	sobre de gelatina sin sabor	4	cucharadas de azúcar
2	latas de 16 onzas de peras	2	cucharadas de jugo de lima
	en mitades <u>con su jugo</u>		concentrado
	agua		colorante vegetal verde (optativo)
4	onzas de queso crema		hojas de lechuga

Vierta el jugo de las peras en un recipiente de medir de 2 tazas. Agregue agua hasta llenar el recipiente, es decir 2 tazas. En un tazón mediano, mezcle la gelatina con 1/2 taza de la mezcla de jugo y agua. Deje reposar. Hierva 1 taza de la mezcla de jugo y agua y añádalo a la gelatina, para disolverla completamente. Incorpore el azúcar y disuélvala. Agregue el jugo de lima y unas gotas del colorante vegetal si lo desea, así como el jugo de peras y agua restantes; coloque el líquido en una procesadora o licuadora. Por último, mezcle el líquido con el queso crema durante un minuto.

Coloque las peras en mitades en cuatro tazones pequeños. Rellene cada uno con un poco de mezcla de queso y gelatina, cubriendo las peras. Refrigere, desmolde y sirva sobre hojas de lechuga.

PASTEL DE FRESAS BRUCE
Ingredientes para un pastel de 8" de diámetro. (Para un pastel como el de la foto, utilice dos moldes de bizcocho de 6", y esta receta 1 ½ vez.)

LA MASA

1½	tazas de harina	¼	taza de grasa vegetal
¼	cucharadita de sal	4	cucharadas de vinagre frío
¼	taza de margarina		

Precaliente el horno a 425°F. Mezcle la sal y la harina. Añada la margarina y la grasa vegetal. Mezcle con un tenedor o con un batidor de repostería. También puede cortar la masa con un movimiento rápido en forma de cruces, con dos cuchillos, hasta que queden trozos pequeños como arvejas. Rocíe con el vinagre frío, cucharada por cucharada, a medida que sigue cortando la masa. No repita el proceso más de lo necesario, ya que entonces la masa quedaría dura.

Coloque la masa sobre el papel de cera. Ponga otro trozo de papel de cera sobre la masa y estire utilizando un rodillo. Retire el papel de arriba. Coloque el molde boca abajo sobre la masa. Dé vuelta a todo, presione la masa dentro del molde y retire el papel. Rellene con habichuelas secas —para mantener la masa mientras se cocina. Hornee por 15 minutos. Retire las habichuelas y guárdelas para la próxima vez. Deje enfriar.

RELLENO

4	tazas (1/4 de galón) de fresas frescas (También puede utilizar fresas congeladas enteras, sin		azúcar, previamente descongeladas.)
		1	taza de azúcar
		3	cucharadas de harina de maíz

Corte la mitad de las fresas en rodajas. Haga un puré con las restantes. Agregue la harina de maíz y el azúcar al puré. Cocine esta mezcla hasta que empiece a hervir. Coloque las fresas cortadas sobre la masa del pastel enfriado. Luego vuelque la mezcla de fresas caliente por encima. Deje enfriar.

¡*A comer fracciones!* es la historia de dos niños y su perro que comparten una comida. Es también una introducción al concepto matemático de las fracciones como parte de un entero. Mediante el uso de fracciones simples —mitades, tercios y cuartos— el libro ilustra las que resultan de la resta —dividiendo y retirando partes del todo. A medida que disfruten de las actividades de los personajes, los lectores se sentirán estimulados a desarrollar destrezas matemáticas: harán comparaciones, relaciones y asociaciones; usarán la lógica e identificarán fracciones. La secuencia de mitades, tercios y cuartos se repite a lo largo del libro con el objeto de reforzar las destrezas. Seguir las recetas para cocinar con la ayuda de los niños también permitirá que practiquen estos conceptos matemáticos. También podrán aprender las fracciones que resultan de la suma midiendo los ingredientes de las recetas. ¡Esta lección de matemáticas no solo se puede cocinar, también se puede comer!

Las recetas que sugiero, totalmente originales, son mis propias variaciones de recetas conocidas. Incluyen algunas sugerencias que la experiencia me ha enseñado. Por ejemplo, una vez comí un pastel hecho por una señora mayor y le pregunté cuál era su secreto para que la masa estuviera tan suave. Me dijo que en vez de agua, utilizaba vinagre. Desde entonces yo siempre uso vinagre. Las comidas y las recetas tienen en cuenta una alimentación completa y nutritiva. Aunque no fue intencional, las recetas no llevan carne. Al evitar el uso de los alimentos que figuran en la cima de la cadena alimenticia, reducimos el estrés sobre los recursos de nuestro planeta.

Los niños de la historia, Erin Mallat y Melvin Chace se conocieron el día que comenzamos a tomar las fotografías para el libro. Por suerte, se hicieron amigos inmediatamente. Bev Olean, un maestro de kindergarten, me había recomendado a Erin diciendo que "era un personaje con pecas que resultaría muy simpático en el libro". Yo ya conocía a Melvin, ya que su hermano había posado para otro libro mío: *One Sun.* Vestí a Erin y a Melvin con dos juegos de ropa idénticos, así no tuvieron que preocuparse por las manchas y los accidentes durante las sesiones. Sus mamás, Kathy Mallat y Jeanne Chace, fueron de gran ayuda en cada sesión.

Lillie, la perrita que come el pastel de fresas, pertenece al veterinario Dr. Craig Holbrook. Cuando tengo que tomar fotografías para mis libros, siempre pregunto a los veterinarios de mi comunidad dónde puedo conseguir mascotas bien educadas y con personalidad. Esta vez

el veterinario y su asistente respondieron al unísono: "La perrita del Dr. Holbrook, Lillie". Primero pensé que sólo querían que la perra de su amigo apareciera en el libro, pero enseguida me di cuenta de que en realidad el animalito era de lo más simpático y tenía muy buen carácter.

Para sacar las fotografías de ¡*A comer fracciones!* utilicé una cámara Nikon F4 con lentes Nikkor de 50mm AF, 55mm micro AF, 85mm AF, 105mm Al y 180mm AF. La luz de interiores fue balanceada con luz natural. Para igualar la temperatura de la luz del día utilicé un flash portátil, dos flashes independientes de lámparas expuestas, y una lámpara dicromática de cuarzo. Para balancear la temperatura de la iluminación incandescente normal, utilicé dos lámparas de cuarzo que hacían más cálidos los colores. El flash permitía "congelar" la imagen, mientras que las lámparas de cuarzo lograban un efecto un tanto borroso para indicar movimiento. Utilicé film Kodachrome 64, procesado por Kodalux.

Bruce McMillan